동화속에 빠진 디자이너

발 행 | 2024년 2월 5일

저 자 | 덕원마을 방범대

펴낸이 | 한건희

펴낸곳 | 주식회사 부크크

출판사등록 | 2014.07.15.(제2014-16호)

주 소 | 서울특별시 금천구 가산디지털1로 119 SK트윈타워 A동 305호

전 화 | 1670-8316

이메일 | info@bookk.co.kr

ISBN | 979-11-410-7022-9

www.bookk.co.kr

동화 속에 빠진 디자이너

덕원마을 방범대 지음

Contents

I. 동화 속 공간

1. 아기 돼지 삼 형제
2. 헨젤과 그레텔
3. 견우와 직녀
4. 별주부전
5. 해와 달이 된 오누이
6. 어린 왕자

II. 동화 속 패션

1. 라푼젤
2. 신데렐라

Ⅲ. 동화 속 소품

1. 이상한 나라의 앨리스
2. 여우와 두루미
3. 백설공주
4. 미녀와 야수
5. 크리스마스 캐롤
6. 엄지공주
7. 호두까기 인형
8. 피노키오
9. 흥부와 놀부
10. 걸리버 여행기
11. 성냥팔이 소녀
12. 토끼와 거북이

안녕! 우리는 덕원마을 방범대 소속
디자이너들이야.
지금부터 우리에게 친숙한 동화
속에 있는 요소들을 디자인하는 걸
보여주려고 해!
동화 속 공간, 패션, 소품 세 가지
파트로 나눠서 총 20편의 동화와
우리의 디자인을 소개할게.
자, 그럼 우리와 함께 동화 속으로
들어가볼까?

동화 속
공간

아기 돼지 삼형제

우리가 흔히 알고 있는 아기돼지삼형제야. 늑대가 하나씩
거쳐가며 짚으로 만든 첫째돼지의 집, 나무로 만든 둘째 돼지의
집을 입김으로 날려 버리지만 셋째의 벽돌집은 무너뜨리지
못하고 오히려 엉덩이에 화상을 입고 도망가는 꼴이 되어버리는
통쾌한 결말을 가져. 하지만 골탕먹은 늑대가 언제 또 다시
복수하러 이 벽돌집으로 올지 모르는 일이야. 전의 벽돌집은
늑대의 입김으로만 무너지지 않았을 뿐, 늑대가 무리를 이끌고
와 벽돌을 마구 부수려 한다면 벽돌집 또한 쉽게 무너질 수도
있는 일이지. 그래서 작자는 현대기술에 기반하여 늑대가
아무리 해도 부수지 못할 아기돼지삼형제의 새로운 집을
디자인해주기로 했어.

우선 벽돌이라는 자재는 집의 내벽과 외벽을 모두 구성하기에 벽돌과 벽돌 사이의 응집력이 떨어질 수 있으므로 철, 콘크리트 같은 구조재를 사용하면 더 구조가 탄탄한 집을 지을 수 있다. 작자는 철골구조를 사용하여 아기돼지들의 집을 만들어 주려 해.

철은 구조체 외에도 집의 여러 부분에 사용돼. 사실 집의 내 외부 마감재로는 철보다는 알루미늄 이나 스테인리스 스틸, 아연도강판 등이 더 많이 사용되는데, 철이 기후와 습기에 약하기 때문이야. 철은 튼튼하고, 다양한 가공이 가능하지만 이렇듯 환경에 약하기 때문에 집의 외부에는 철 대신 스테인리스 스틸을 쓰거나 비철금속, 가공된 철을 사용하기도 해.

철골구조의 대표적인 예

아니, 늑대에게 무너지지 않는 집을 만들어주겠다면서
만들겠다는 집의 주재료가 이렇게 환경에 약한 철이라니

이렇게 생각했다면 그리 걱정하지 않아도 돼.

철은 인장력에 견디는 힘이 강해 압축력에 강한 콘크리트와
서로 보완해주는 성격이 있고, 기후 변화와 습도에 약한 철을
콘크리트가 보호해주어 내구성도 높여주기 때문에 삼형제의
집을 만드는 데에 쓸만한 가치가 있어. 그리고 무엇보다
철골구조의 장점은 높은 층과 넓은 기둥 간격이

가능하고, 비교적 저렴하며, 공사기간이 짧아.

벽체의 두께도 줄일 수 있고, 좀 더 정확하게 시공이

가능하며, 공사기간도 철근 콘크리트에 비해 훨씬 줄일 수

있어. 건식 시공이므로 날씨의 영향도 많이 받지

않으며, 건축물을 철거할 때도 콘크리트 건물보다 용이하지. 내

외장재는 어떤 것이든 다양하게 사용 가능하며, 겉으로 보기에

철골구조 건물임이 드러나지도 않아.

건축에는 가장 중요한 3요소가 있다. 바로 '구조, 기술, 미' 야.

맞아.

이제는 '미'(디자인)에 대해 고민해야 해.

"건축은 그림이나 음악의 감각을 배우는 것과 같은 방법으로 공부해야 한다. 여러분은 예술에 관해서 말만 해서는 안된다. 예술은 실천해야 하는 것이기 때문이다."
제1대 프리츠커 상 수상자이자 20세기를 대표하는 건축물을 만든 미국의 건축가 필립 존슨 (Philip Jonson)이 남긴 말이야.

Philip johnson
1906~2005

늑대에게 무너지지 않을 건물을 만든다고 해서 무조건 막혀있는 듯한, 답답하고 무거운 느낌을 낼 필요는 없지? 이것이 내가 철골 구조를 선택한 이유이기도 해.

이렇게 거실이 뚫려 보이게 아예 크게 창호를 내는 식으로 하였고 2층짜리 집으로 만들었어. 천장과 외부라인은 밑의 스케치를 본뜨고 내부 인테리어를 위의 사진에서 참고하여 만든다면 멋진 집이 될 것 같아.

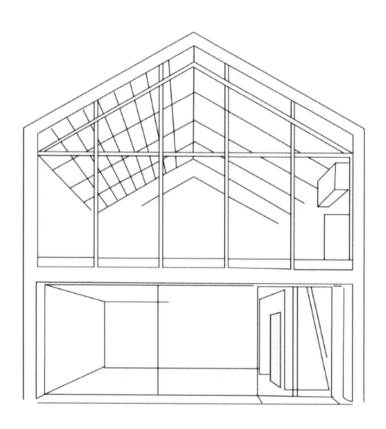

어느 날 숲속에서 헤매다가 헨젤과 그레텔의 과자집을 발견하게
되었어! 실제로 그렇게 큰 과자집을 보다니 정말 놀라웠지. 내가
숲속에서 보았던 과자집을 최대한 떠올려서 다시 표현해 볼게.
나는 건축물을 관찰하는 것을 좋아하지만, 막상 건축이라고
하면 어렵다는 느낌이 들기도 했어. 지금 내가 헨젤과 그레텔의
과자집을 만들어서 구조와 재료에 대해 설명해 줄 테니까, 이
과자집으로 건축을 더 쉽게 재미있게 이해하면서 접근할 수
있으면 좋겠어!

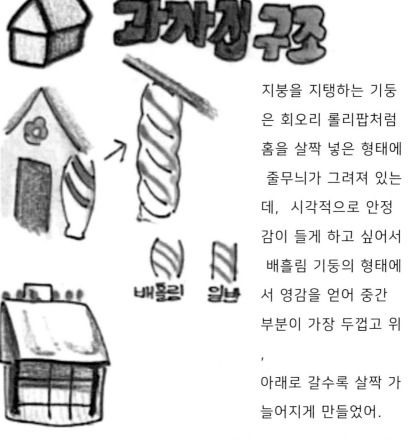

과자집 구조

지붕을 지탱하는 기둥은 회오리 롤리팝처럼 홈을 살짝 넣은 형태에 줄무늬가 그려져 있는데, 시각적으로 안정감이 들게 하고 싶어서 배흘림 기둥의 형태에서 영감을 얻어 중간 부분이 가장 두껍고 위, 아래로 갈수록 살짝 가늘어지게 만들었어.

배흘림   일반

그리고 과자집이지만 튼튼하게 만들면서도 다양한 디자인을 하고 싶었는데,

많은 건물에 사용되는 공법인 철근 콘크리트 구조를 이용한다면 얇은 기둥으로도 건축물의 구조를 지탱할수 있게 되어서 과자집의 내부 공간 구성을 더 자유롭고 다양하게 할 수 있다는 걸 알았어. 그래서 단단한 철근과 구하기 좋은 콘크리트를 사용하는 철근 콘크리트 구조를 이용해 보았어. 나도 원래 건축 구조에 대해서는 잘 몰랐는데, 예전에 독서 문제를 풀다가 알게 된 내용이야! 이런 상황에서 도움이 되니까 신기하다~

과자집을 어떻게

표현했을까?

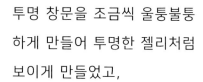

바깥 창문에 달린 초코칩쿠키는 콘크리트로 질감을 표현했어.

투명 창문을 조금씩 울퉁불퉁하게 만들어 투명한 젤리처럼 보이게 만들었고,
문에 붙어 있는 초코스틱은 나무를 이용해 질감을 표현했어.

⟨과자집 내부⟩

집의 내부에 있는 계단은 토스
트기에서 나온 빵의 모양에서
따 왔어. 발판 부분이 빵 모양으
로 되어 있는 거지.

침대의 이불과 베개는 폭신하고
따뜻한 느낌을 주기 위해 솜을
채워서 가볍지만 두껍게 마시멜
로처럼 만들었어.

예로부터 7월 7일에는 견우와 직녀가 오작교에서 만난다는 전설이 내려오고 있어.

옛날 어느 별나라에 아름다운 한 처녀가 살고 있었어. 처녀는 천을 곱게 짜서 직녀라 하였지. 어느덧 직녀가 꽃피는 나이가 되어 아버지는 이웃 별나라의 한 총각을 사위로 맞이하기로 했어. 총각의 이름은 견우라고 하며 매일 소를 끌고 하늘을 다니는 목동이었어. 결혼한 견우와 직녀는 끝없이 행복했었어. 사랑에 취한 그들은 천을 짜는 것도 잊고 소를 방목하는 것도 잊어버리고 살았지. 그런 그들의 사랑과 행복은 그리 오래갈 수 없었어. 어느 날 왕은 그들을 불렀어. 그리고 이렇게 말했지. "견우 너의 천직은 소에게 풀을 먹이는 것이고, 직녀 너의 천직은 천을 짜는 것인데, 잠시라도 천을 짜고 소를 방목하는 것을 잊은 너희들을 나는 용서할 수 없다. 이제부터 너희들은 한 해에 한 번씩 칠월 칠석날에만 만나도록 하여라" 왕은 즉시 그들을 추방하였어. 그리하여 직녀는 은하수의 동쪽에 가서 천을 짜게 되었고, 견우는 서쪽에 가서 소를 먹이게 되었어. 견우와 직녀는 서로 오고 갈 수 없는 은하수를 사이에 두고 헤어져서 날이 갈수록 그리운 정이 차곡차곡 가슴에 사무쳤대. 어느덧 1년이 지나 기다리고 기다리던 칠월 칠석날이 왔어. 견우와 직녀는 은하수를 사이에 두고 서로를 안타깝게 불렀지. 그러나 검푸른 대하가 그들의 목소리마저 삼켜버렸어. 견우와 직녀는 구원의 손길을 바라듯 강기슭을 헤매었고, 서로를 보고도 만날 수 없는 애끓는 슬픔으로 오열에 떨며 눈물을 흘렸어. 은하수에서 방울방울 흘린 그들의 눈물은 비가 되어 세상에 억수로 쏟아졌어.

그때 왕이 일관을 불러 비 오는 까닭을 물었더니. "상감마마, 이는 견우와 직녀가 은하수를 건너지 못하여 흘리는 눈물이오니 거기에 다리를 놓아줌이 상책일까 하옵니다."라고 말했어. 그랬더니 왕이 "그런데 어떻게 땅 위에 사는 우리가 하늘에 다리를 놓는단 말인가." 물으니 일관이 말하길 "하늘로 높이 날아오르는 새는 까마귀와 까치 온데 그 수도 많아서 이 일을 할 수 있을 것입니다."라고 답했지.

왕은 까마귀와 까치를 불러 하늘에 올라가서 은하수에 다리를 놓아주라고 분부하였어. 하늘에 오른 까마귀, 까치들은 몸을 잇대어 넓은 은하수에 긴 다리를 놓아주었지. 그리하여 견우와 직녀는 이 다리(오작교)에서 상봉하였어. 순간 억수로 퍼붓던 비는 멎고 견우와 직녀의 상봉을 축복하듯 하늘은 푸른 하늘로 바뀌었대.

견우와 직녀가 만나기 위해 사용되었던 오작교를 다시 디자인해 보았어. 7월 7일에 견우와 직녀가 만나는 것을 강조하기 위해 매일 아침, 저녁 7시부터 8시에 다리가 내려오게 디자인해 봤어.

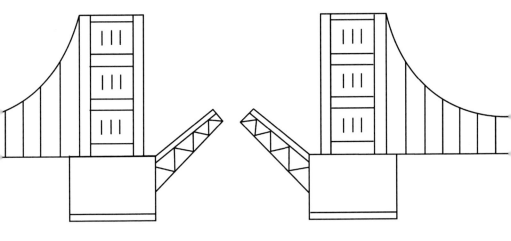

다리를 디자인할 때 시간과 날짜에 중점을 두고 집중했어.
그래서 아침 7시와 저녁 7시에 다리가 내려올 수 있게 했고,
특히나 7월 7일엔 아침부터 저녁까지 다리가 내려와 연결될 수
있게 디자인했어.

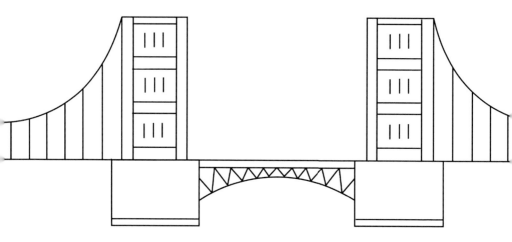

별주부전

 별주부전에 대해 들어본 적 있니? 용왕의 병을 치료하기 위해
자라가 토끼를 용궁으로 데려오지만, 토끼가 기지를 발휘하여
도망치는 이야기야. 이번엔 이 별주부전과 현대 문명이
만난다면? 이라는 각색을 통한 이야기를 들려 줄게.

 먼 옛날에, 바다에는 용왕이 도사리고 있었고
온 바다를 지배하고 있었대. 용왕은 고대의 보물과 유적이 묻힌
터 위에 자리잡은 바닷 속 왕궁에서 항상 늠름하게 업무를 보고
있었어.
어느 날은 용왕이 지하 유적을 조사하기 위해 신하 여럿을
거느리고 심해로 내려갔는데, 그곳에는 난생처음보는 특이한
물건들을 보게 된 거야. 이 물건들 바닥에는
'이 물건을 진정으로 이해하고 능하게 다룰 수 있다면, 육지를
넘나들고, 온 세상을 지배할 수 있게 될 것이다. 반대로 이에
대해 무지하다면, 그곳에는 쇠퇴와 황폐함만이 있을 것이다.'
라는 예언 같은 글귀가 새겨져 있었어.

몇 날 며칠, 수많은 신하들과 의논하고 알아보려 했지만
알아낸 것이라고는 육지에 같은 것이 쌍으로, 하나 더
존재한다는 사실과 육지 생물의 육체가 필요하다는 사실밖에
없었기 때문에, 용왕은 근심만 가득 안고 결국 앓아눕게 되었지.
용왕은 신하를 불러 모아 육지에 조사를 보낼 이를 찾는데,
모두 아가미 달린 생선이라, 함부로 육지를 넘나들 수 없는
이들 밖에 없던 거야.

 그때, 듣고 있던 자라가 나서서,
"바다와 육지를 자유롭게 오갈 수 있는 제가 육지 동물을
잡아오겠습니다."라고 말했어.
옆에 있던 약사는 "예로부터 내려오던 육지의 한 큰 산에
토끼라는 동물이 있는데, 영리하지만 호기심을 이기지 못하는
온순한 동물이 있습니다. 데려와서 물건에 대해 알아보게 하고,
그 육체를 거둬 사용하면 되지 않겠습니까?"라고 덧붙였어.

 그런 고로, 자라는 육지에 나가 토끼를 찾으러 가는데, 막상
나가니 어디 있는지 알 수 없었으며, 어떻게 생겼는지 모르기에
헤매고 있었어. 며칠 동안 산속을 계속 돌아다니던 중, 시끄러운
소리가 나는 쪽으로 가니, 털이 희고 귀가 긴 동물이 심해
유적에서 보던 것과 비슷한 물건들을 만지작거리고 있었지.
자라가 그에게 토끼가 어딨는지 아냐고 묻자, 그는 자신이
토끼라고 말했어.

이에 자라는 기뻐하며 토끼에게, 이런 물건에 대해 잘 아는가 하고 물었더니 토끼는 잘 알 뿐만 아니라 다루는 방법까지도 알고 있다고 하더래. 자라는 토끼를 바로 설득시키려고 하는데 그 말이,

"우리 용궁에 이런 물건들이 있는데, 용왕님께서 며칠을 알아보아도 알지 못하여 그 두려움으로 드러누우셨습니다. 선생이 저희 용궁에 오시어 저희 용왕님께 이것들에 대해 지식을 나눠주고 근심을 낮게 한다면, 용궁에서의 귀빈으로 대접받으실 수 있을 것입니다"라고 말했어.

호기심이 생긴 토끼는 당장 자라를 따라 바다 안으로 들어가는데, 자라가 처음 보는 물건을 얼굴 위에 둘러 육지 생물인데도 바닷속에서 숨을 쉬는 게 신기한 일이었지. 그러나 토끼를 어서 데려가는 것이 급했기에, 우선 용궁에 도착하게 되었어.

토끼가 용궁의 풍경에 감탄하고 있을 즈음, 용왕의 명을 받은 신하 하나가 와서 미지의 물건 앞으로 데려가더니, 이에 대해 정보를 물었고 신이 난 토끼는 아는 것들을 술술 말하기 시작하였어.

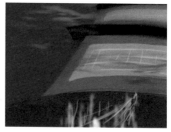

반신반의하는 용왕은 토끼에게 허가를 주어, 육지로 다녀올 수 있도록 하였어.

육지로 떠나기 전 토끼는, 심해 바다로 내려가 한 번 더 확인을 해본다고 하며, 아래로 내려가더니, 유적의 문을 닫아버리고 빠르게 머리를 굴리기 시작했어.

사실 여기에 있던 것은 종종 미래의 예산이라 불리는, 현대의, 이른바 잠수함이었는데, 이것을 알아본 토끼는 진작에 각각의 기능들을 알아보고 있었던 거야.

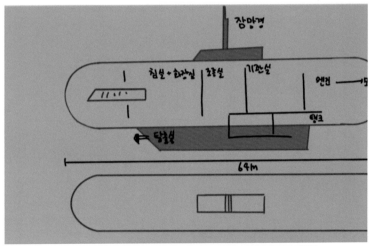

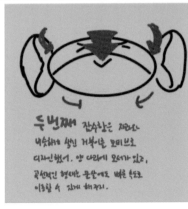

여기서 토끼는 여러 잠수함 중 두 가지 잠수함을 추려서 고민하게 되는데, 여기서 잠수함의 기능과 디자인을 알려줄게.

 첫 번째 잠수함은 크고 외형이 우리가 아는 평범한 잠수함처럼 생겼지? 내부도 여러 기능을 가지고 있어서 편의성이 높아. 두 번째 잠수함은 거북의 외형을 본떠 작게 만들어졌는데, 빠른 속도로 물 아래를 이동할 수 있고 배경과 어우러져 어느 정도의 위장도 가능하지.

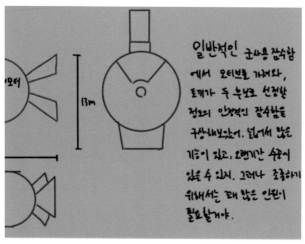

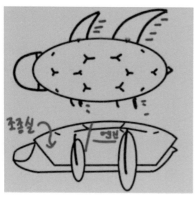

 토끼는 지금 상황에서, 탈출하는 것이 가장 중요했기 때문에 속도가 빠르고 위장이 가능한 두 번째 잠수함을 탔어. 그러곤 언젠가, 자기를 잡아온 바닷속 녀석들의 다른 잠수함도 가져올 거라 생각하면서 말이지.

영리한 토끼는 잠수함을 몰고, 순식간에 깊은 바다에서 솟아오르더니, 용궁 위를 가로지르며 유유히 떠나게 되었어.

토끼가 다시 돌아올 것이라 믿고 있던, 자라를 포함한 모든 이들은 하염없이 계속 기다렸으나, 결국 돌아오지 않음을 깨닫고 탄식하게 되지.

이로써, 자신의 사소한 두려움으로 인한 병에서 시작하여, 세간의 무고한 사람까지 해칠 뻔한 짓을 저지른 용왕은 결국 귀한 고대의 보물도 잃고, 자신을 후회하며 병만 깊어져 눈을 감고 결국 자신이 태어난 물로 돌아가게 돼.

각색된, 새로운, 별주부전의 이야기는 여기까지야. 그럼 다른 이야기를 들으러 가볼까?

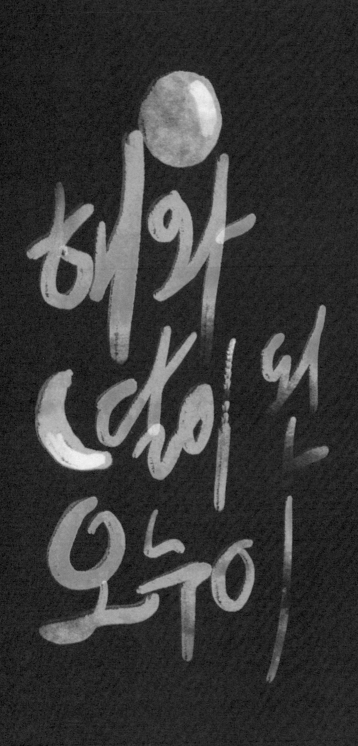

'해와 달이 된 오누이'는 어머니가 떡을 팔러 장터에 갔다 오는 사이에 집에 남겨진 오누이에게 일어난 일에 대한 이야기야. 어머니가 팔다 남은 떡을 가지고 집으로 오는데, 첫 번째 고개에서 호랑이를 만나게 돼.

"떡 하나 주면 안 잡아먹지."

어머니는 어쩔 수 없이 호랑이에게 떡을 주고 다시 집으로 오고 있었어. 그런데 고개를 넘을 때마다 계속해서 호랑이가 나타나 떡을 주면 안 잡아먹겠다고 하는 거야. 그렇게 호랑이는 고개마다 떡을 하나씩 뺏어 먹고 나중에 떡이 다 떨어지자

어머니까지 잡아먹었어. 그러고는 어머니로 변장을 해서
오누이가 있는 집에 찾아갔어. 문을 두드렸는데 여동생은
어머니가 온 줄 알고 기뻐서 문을 열어주려고 했지만 오빠는
여동생을 말리고 목소리를 내서 어머니인 것을 증명해 보라고
했어. 호랑이는 목이 쉬었다고 둘러댔지. 오빠는 이번에는 손을
보여달라고 했어. 호랑이는 또 일을 많이 해서 손이
거칠어졌다고 변명했어. 하지만 문풍지 사이로 보이는 호랑이의
눈을 보고 오빠와 여동생은 놀라서 뒷문으로 도망가서 나무
위로 올라갔어. 호랑이가 따라왔지만 오누이를 찾지 못하다가
우물에 비친 오누이의 모습을 보고 어떻게 올라갔냐고 부드럽게
물어봤어. 오빠는 참기름을 손에 바르고 올라왔다고 했어.
그러나 여동생이 나무를 올라오지 못하는 호랑이를 놀리려다
도끼로 나무를 찍으면서 올라오면 된다는 방법을 말해버렸어.
오누이는 하느님께 동아줄을 내려달라고 빌었고, 새 동아줄이
내려와 동아줄을 타고 하늘로 올라가서 해님, 달님이 되었어.
호랑이는 썩은 동아줄을 타고 올라가다가 동아줄이 끊어져
수수밭에 떨어져서 죽고 말았어.

'해와 달이 된 오누이'에서 오누이를 위한 탈것을 디자인해
봤어. 호랑이를 피해 도망가다가 하늘로 올라가야 하기 때문에
지상에서 달릴 수도 있고 날 수도 있는 탈것을 디자인했어.
바퀴랑 날개는 사용하지 않을 때는 몸체 안으로 들어가고
사용할 때만 나오도록 했어.

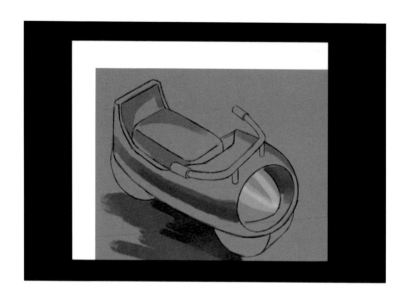

오누이가 하늘로 올라가서 해님과 달님이 되어야 하기 때문에
지붕이 없는 탈것을 만들었어. 밤에도 시야가 잘 보이도록 앞에
큰 전등을 달아줬어. 자동차보다는 바이크에 가까운 형태로
간편하게 탈 수 있는 탈것을 디자인해 봤어.

어린왕자

이번에는 동화 어린 왕자에 대한 이야기를 해줄게. 한때, 지구에서 여행을 하는 여행자가 있었어. 여행자는 세상을 여행하다, 사하라 사막에서 비행기가 추락해. 그러다가 자신과 같이 사막에 불시착한 어린 왕자를 만나게 되지. 6년 후 여행자는 이 날의 일을 떠올리게 되는데 그 이야기가 이 동화의 주요 내용이야.

먼 행성에서 한 어린 왕자가 찾아와 그에게 말을 걸어왔는데, 왕자는 그에게 양 그림을 그려달라 하여 그려주었지만 마음에 들지 않아 했고, 상자를 그려주자 좋아하며 자신이 B-612라는 별에서 왔으며, 여러 행성들을 돌아서 지구까지 오게 되었다 했어.

어린 왕자는 자신의 행성에서 꽃 한 송이와 살고 있었는데,
이곳은 하루에 마흔네 번씩이나 해가 지는 걸 볼 수도 있는
행성이라고 해. 또 꽃은 자신의 가시로 맹수도 당해낼 수 있다고
하는 거만한 꽃이었지.
결국 왕자는 괴로움을 안고, 이 행성을 떠나게 돼.

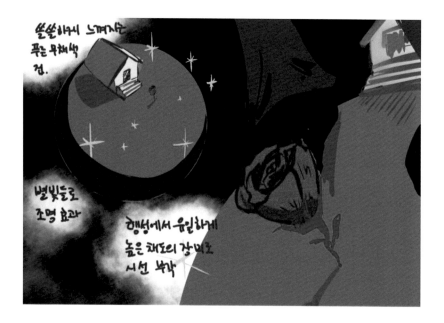

이 특이한 행성은, 마치 꽃과 왕자만을 위한 주연 무대 장치같이
보이지 않니? 그래서, 별들로 이목을 한 곳에 집중시키면서도
어딘가 비어있는, 공허한 느낌을 주는 풍경과 집을 디자인하여
배치했어.
스스로 무언가를 배우러, 일거리를 구하러 이런 행성을 떠난
왕자가 어떻게 보면 안타깝게 느껴지기도 해.
행성 간의 여정을 시작했지만, 왕자가 가는 행성마다 그리
좋지는 않았어.

왕자가 도달한 첫 번째 행성은 한 왕이 다스리는 행성이었어. 이 행성의 모든 권력을 쥐고 있었지만, 이치에 맞는 명령만을 내릴 수 있었지.

두 번째 행성은 별에서 홀로 사는 허영쟁이인데, 자신이 가장 별에서 똑똑하다고 인정받기를 원하는 자였지. 왕자는 실망하며 계속 다음 행성으로 나아갔어.

다음 별에는 술 마시는 창피함을 잊기 위해 술을 마시는 주정뱅이가, 그다음에는 별을 세기만 하는 사람이 있었지. 다섯 번째 별에서, 어린 왕자는 드디어 머물고 싶다는 생각이 들었어. 여기는 작은 행성인데, 가로등 하나와 점등인만이 있었지.

작은 행성에, 가로등 하나와 점등인만이 있었음에도 불구하고, 왕자가 머물고 싶어했다는 것을 볼 때 꽤나 편안한 느낌이 드는 행성이었을 것 같아. 작은 행성 위로, 가로등의 분위기 있는 조명과 함께 작지만 가득 찬 것 같은 아늑함을 주는 행성으로 디자인해 봤어.

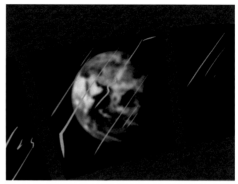

작은 행성에, 가로등 하나와 점등인만이 있었음에도 불구하고,
왕자가 머물고 싶어했다는 것을 볼 때 꽤나 편안한 느낌이 드는
행성이었을 것 같아. 작은 행성 위로, 가로등의 분위기 있는
조명과 함께 작지만 가득 찬 것 같은 아늑함을 주는 행성으로
디자인해봤어.

정원에는, 왕자의 행성에 있던, 하나뿐이라 믿었던 꽃이 가득
차 있었지. 왕자는 놀라면서도, 특별히 여긴 자신의 꽃이 수없이
많은 것을 보고 회의감이나 상실감도 들었을지 몰라.

정원은 사막에 있을 것이라고 예상되지 않을 정도로, 또한
왕자로 하여금 엄청난 감정을 일으킬 정도로, 수많은 꽃들과
더불어 화려하게 장식했어. 태양이 강하게 뇌리 쬐는 특성을
활용하여 재생 에너지도 사용하며 이곳을 가꿀 수 있게
만들어보았어.

왕자는 지구에서, 인형을 시간을 들여 찾는 아이들도 보고,
여우에게 길들인다는 것에 대해 들으며 소중한 것에 대해 다시
깨닫게 돼. 자신 행성의 꽃을 포함해 자신에게 하나밖에 없다면
그것이 특별하고 소중한 것이라는 것을 말이야.

여기까지가 왕자가 여행자를 만나 들려준 왕자의 이야기였어.
여행자도 왕자와 만나며 많은 것을 배웠어. 자신의 보아 뱀
그림(큰 모자처럼 보이는)을 알아보는 '어린' 왕자를 통해
순수의 가치와 진정한 어른이란 무엇인지에 대해서도 생각해
보게 되지. 이건 우리 독자들도 마찬가지일 거야. 마음 한 켠을
울리는 어린왕자에 대해 알아보았으니, 이제 다음 작품으로
넘어가 볼까?

동화 속
패션

라푼젤의 헤어스타일

 탈모가 전염병처럼 퍼진 이 세상에서, 한 중성마녀가 성 안으로
침입을 해 당시 그 나라에서 가장 머릿결이 좋고 머리숱이
풍부하였던 국왕과 왕비의 유전자 샘플을 훔쳐서
비밀 리에서 배양을 한 뒤, 한 여자아이를 탄생시켰어. 갓
태어난 여자 아이를 보자마자 중성마녀는 자신이 쓰던 헤어젤의
이름을 따와 '라푼젤'이라고 이름을 지어줬어. 어느 덧 여자
아이는 빛의 속도로 자라서 소녀가 되었고, 이제는 혼자 집을 볼
수 있을 정도의 어엿한 성인이 되었어. 사실은 그 전부터 집을
혼자 볼 수 있었지만 그녀가 살던 곳이 못테타워였기 때문에
혹시 추락하면 무슨 일이 생길까 봐 중성마녀는 그녀가
어느정도 클 때까지 그녀의 외출을 삼가 시키고, 업무도
일주일의 대부분을 집에서 해왔었어. 시간은 다시 현재로,
그렇게 혼자 욜로 라이프를 즐기고 있었던 라푼젤이었는데
그녀는 중성마녀에게 외출이 너무 하고 싶다면서 조르다 살면서
얼마 못 나간 외출을 하게 되었지. 하지만 그럴 것도 잠시 자신
이외에 세상 모든 사람들이 거의 원형 탈모거나 M자탈모인
머핀(탈모인)들을 보며 놀라게 된 라푼젤이었어.

중성마녀가 그녀에게 외출 전 머핀들에 대해서 가르쳐 준 바는 있었지만 이렇게까지 참혹할 줄은 몰랐었지. 그녀는 이 세상 인구 수에 절반이상을 더 뛰어넘는 머핀들을 위해 대머리여도 깻까루라도 뿌려 이발을 시켜주겠다는 마음가짐으로 N년 후, 라푼젤은 '준호헤어'라는 거대한 미용사업에 자신의 길고 긴 머리카락을 투자한 뒤, 사람들로 하여금 지지를 받고, 자신이 기부한 머리카락들이니 가발들 중 몇 개는 자신이 손봐주고 싶다는 말을 하며 중성마녀를 설득한 뒤, 이발사의 길을 걷게 되었어… 그리고 다가온 라푼젤의 입사 첫 날 "어이 거기 신입!"이라고 누군가 라푼젤에게 뒤에서 다가왔어. 대답을 하고 뒤를 돌아본 라푼젤이 본 것은 티비 프로그램에 나와 머리카락이 없는 머핀들을 위해 깻까루나 초코칩이라든지 길 가던 스핑크스 고양이의 없는 털이라도 뽑아서 머리 위에 뿌려주는 그 유명한 식빵 이발사였단다. 라푼젤은 방송과는 다르게 정상적인 이발도 할 줄 아는 그에게서 미용사 자격증을 얻기 위한 가르침을 받기 시작했어…

5:5, 6:4, 7:3

레이어 나눠서

가르마펌 (비율 다양)
안정감 & 차분함

특별력
기본 단정

박새로이 것으로 유명

스포츠컷
남정

크롭컷
시원한 인상

이마가
가려벌단
좁아서

애즈펌
(가장 핫)
자연적임

포마드펌
깔끔함

"남자들은 대부분 여자들에 비해 상대적으로 머리 길이를 짧게
하는 스타일들이야. 장발이나 머리를 기르고나서 울프컷을 하는
경우도 많은데 우선 대중적인 스타일들 중 몇 개를 가지고 왔어.
보다시피 펌들은 베이스로 대부분 투블럭으로 잡고 컬에 따라
주는 느낌이 다 틀려, 기본 스타일들은 레이어의 유무 차이나
이마가 어느정도 보이는 지에 따라 주는 느낌도 다르고.
라푼젤은, 위 내용을 어느정도 암기하렴. 헤어스타일에서 주는
분위기가 중요하기도 한거니 그 점도 살펴보고. "

미스티 펌
자연스러운

윈드펌
웨이브 스타일

프릴컷
샌드펌스타일류

허쉬컷
가벼운 느낌

대표적
숏컷

"여자들은 앞에서 보여준 남자들의 헤어스타일들과는 다르게
상대적으로 머리가 긴 상태에서 컷을 하는데 대중적으로
기본적인 숏, 단, 장발 컷, 등이 있지만 컬을 살리거나 오히려
가라 앉혀서 머릿결의 웨이브 같은 걸로 분위기를 주는 편이야.
그래서 그런지 미용을 안 받아도 고데기로 컬을 줘서 평소에
헤어 스타일들을 알아서 하는 편들이기도 하지."

그러곤 시간이 흐르고 난 뒤에야 "수고했어, 넌 이제
정식미용사란다." 라는 말을 듣게 된 라푼젤은 눈물을 흘리며
가발들을 손보기 시작하였어…
며칠 뒤 준호헤어는 그녀가 입사한 뒤로 이전보다 매출이 더
오르게 되면서 그녀는 자신이 살고 있는 못테타워 아래에다가도
새 지점을 열게 되었단다. 멀리서 지켜보던 그동안 열심히
그녀를 돌보아줬던 중성마녀는 그녀를 바라보며 흐뭇한 미소와
함께 오늘도 비밀리로 출근했어.

신데렐라의 코디

때는 MZ세대, 어머니를 일찍이 여의고 아버지와 단둘이서 펜트 하우스에서 함께 살아가던 소녀가 있었어. 소녀에게는 비록 어머니는 없었지만 아버지의 사랑이 그녀를 항상 행복하게 해주었기에 별 탈 없이 잘 살아가고 있었단다. 그러던 어느 날, 아버지께서 새 여자가 생긴 뒤로부터 그 여자는 소녀의 새엄마가 되었고, 그녀는 소녀의 언니뻘 되는 자신의 자식들을 펜트 하우스로 데려와 소녀와 같이 살게 하도록 했어. 소녀가 어느정도 자라고 어느덧 성인이 됐을 땐, 그녀의 아버지가 회사로 갈때마다 새엄마와 언니들은 소녀를 하녀처럼 부리고 분리수거나 집 청소, 설거지, 등 잡일들을 시켰지. 그러던 어느 날, 소녀의 아버지가 먼 곳으로 출장을 나가던 도중 비행기 사고로 돌아가시게 되자 새엄마와 자식들은 그녀를 이전보다 더 거칠게 대하기 시작했고, 힘들었던 그녀는 이제 삶이 지쳐 창고에서 자려고 하던 순간이었어. 문득 문 너머로 이틀 뒤, 전직 모델이었던 새엄마와 SNS스타였던 두 언니들이 유명 인사들만 갈 수 있다는 한 사업 개장 축하연에 초대되었다는 소식을 듣고 이어서 그녀들이 일부러 옷을 잘 모르는 그녀를 막 입힌 채 소녀도 데려가서 망신을 주게 하려는 그녀들의 음모를 듣게 돼버린 거야! 하지만 그녀는 "어차피 내 인생은 망가졌어, 난 실패작이야…" 라고 그녀가 창고 구석에서 울면서 말했어.

그 날 늦은 밤, 소녀의 폰이 울리면서 사이버 요정들이
튀어나와 소녀를 깨우고 난 뒤,
"울지 마렴. 우린 너의 삶을 지켜보면서 너가 이 힘든
인생으로부터 해방되는 날만을 기다려왔어"라고 말하자 현재
상황이 힘들었던 그녀는 요정들에게 진심으로 궁금해하며
물어봤어. 그러더니 요정이
"너 지금까지 살아오면서 거울 제대로 안 봤니? 너의 언니들은
사실 보정으로 그동안 팔로워 수를 늘려왔어, 네가 언니들보다
옷을 더 잘 입거나 그의 준하게 입고 축하연에 가게 되면 엄청난
미남들도 너에게 빠질 수 있는 인플루언서가 될 수 있어."
그녀는 요정들의 말에 힘을 입어 요정들로부터 축하연에 갈 때
어떤 옷의 어떤 색감이나 재질들이 주는 시각적 이미지와
정보에 대해서 듣기 시작했단다…

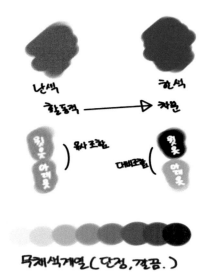

보다시피 우리가 입는 옷의 색이 난색 에서 한색으로 갈 수록 활동적이다가 차분해 보이는 특징이 있어 그 외에 위와 아래 조합의 대비에 따라 주는 인상도 다르지.

스커트의 길이
=
다리 길이 비율

여자들이 주로 아우터 안에 입는 셔츠나 드레스들은 부드러운 재질들은 우아한 느낌을 줌.

대체적으로

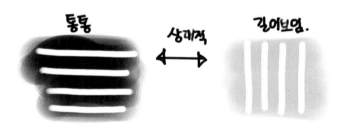

통통 ←상대적→ 길어보임.

주로 여성들이 입는 옷 위주로 얘기해주자면 스커트의 길이가 짧으면 짧을수록 다리가 길어 보이거나 스커트의 길이가 길면 길수록 다리가 덜 길어 보이는 효과를 줄 수 있어. 드레스는 아우터를 입거나 혹은 그대로 입고 길이에 따라서 입는 경우가 다양한 여자들이 선호하는 옷들 중 하나인데 그 중에서도 얇은 천이나 실크 재질들은 우아한 느낌을 줘! 무늬도 가로 무늬는 몸이 넓어 보이는 느낌과 세로 무늬는 몸이 길어 보이게 돼서 키가 커 보이는 느낌을 줄 수도 있고!

실크
(가디건, 등)
(포근)

가죽
(레더자켓, 등)
(단정)

이번엔 여자들이 주로 입는 아우터에 쓰이는 소재인 실크
소재와 가죽에 대해 간단히 얘기해 줄게! 실크 소재들은
포근함을 주거나 얌전함을 보여 줘서 청순한 코디들에 어울리는
편이야, 반대로 가죽 소재들은 단정함이나 거친 느낌, 등을 줘서
힙한 코디들에 잘 어울리는 편이지.

이 밖에는 요정들이 마지막으로 옷 추천을 해주는 얘기가
끝나고 요정들이 "이제 넌 어느정도 옷에 대해 기초를 알게
됐어 더 이상 딱히 얘기해줄 건 없으니 가서 인상 깊은 축하연이
되길 빌게." 라는 말과 함께 사라졌어… 소녀는 요정들을
고마워하며 그로부터 축하연 당일이 오자 먼저 가라는 말을
어처피 못 입을 거라며 무시하는 언니들과 새엄마에게 전하고,
요정들에게 들은 정보를 바탕으로 옷을 입고 갔어. 소녀가
축하연에 도착하자마자 새엄마와 자식들을 포함한 연회장에
있던 모든 사람들이 그녀를 보며 놀라움에 금치 못했지. 그 순간
"세상에 저런 미인이!" 라고 하며 한 남자가 걸어 왔고, 그녀는
그 남자가 이 축하연의 주인공이자 가끔 뉴스에서 보던 재벌
2세의 미남 인플루언서인 것을 알아차리게 돼버렸어.

둘은 사랑에 빠지게 됐고, 순식간에 결혼까지 약속하게 되었지. 반면 보정빨이라는 사실을 들키게 된 언니들은 다른 인플루언서들에게 꼽을 먹으며 축하연에서 도망치게 되었고, 기자들은 전직 모델인 새엄마를 뿌리치고, 그녀를 인터뷰하기 시작했어… "성함이 어떻게 되시죠?, SNS 아이디라도 있으시면 알려주실 수 있으신가요?", 등 그녀에게 질문들이 여러 차례 쏟아져 왔고, 당황하며 소극적으로 행동하는 그녀를 그녀의 약혼남이 이를 백마 탄 왕자처럼 실드를 쳐 주었지만, 그동안 자신감 없이 집에서 구박만 받으며 지내왔던 지라 이제는 자신 있게 살기 위해 그녀는 "제가 SNS를 시작한 지 얼마 안 됐는데 많관부 부탁드립니다"라고 말하면서 많은 이들이 궁금해하던 그녀의 아이디를 밝히었어. 맞아, 그녀의 아이디는 놀랍게도 우리가 잘 알고 있는 동화 속 여주인공인 c.inde_rella.06였단다.

 그럼 다음 이야기로 넘어가볼까?

헉 이곳이 <이상한 나라의 앨리스> 동화 속 인가봐.

혹시 이 동화의 내용에 대해서는 알고 있니?카드병정이
표지판을 먼저 읽어보라고 하네!

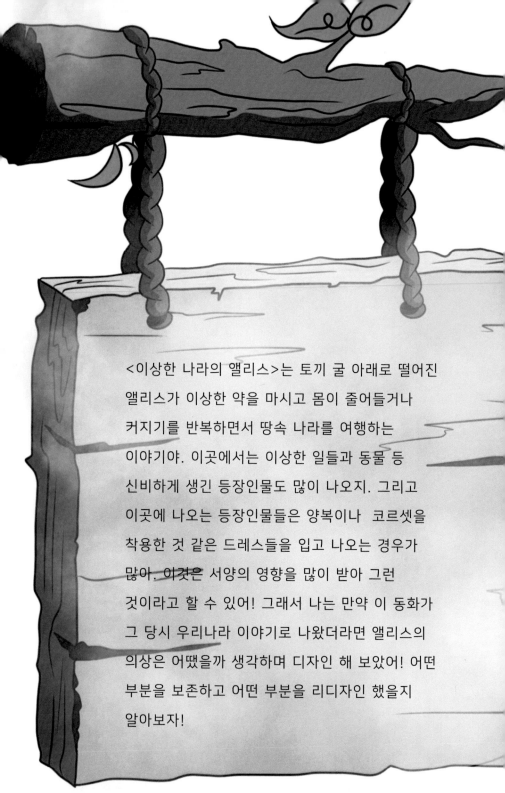

<이상한 나라의 앨리스>는 토끼 굴 아래로 떨어진 앨리스가 이상한 약을 마시고 몸이 줄어들거나 커지기를 반복하면서 땅속 나라를 여행하는 이야기야. 이곳에서는 이상한 일들과 동물 등 신비하게 생긴 등장인물도 많이 나오지. 그리고 이곳에 나오는 등장인물들은 양복이나 코르셋을 착용한 것 같은 드레스들을 입고 나오는 경우가 많아. 이것은 서양의 영향을 많이 받아 그런 것이라고 할 수 있어! 그래서 나는 만약 이 동화가 그 당시 우리나라 이야기로 나왔더라면 앨리스의 의상은 어땠을까 생각하며 디자인 해 보았어! 어떤 부분을 보존하고 어떤 부분을 리디자인 했을지 알아보자!

기본 앨리스

백인의 특징이
두드러지는 얼굴

서양사람들의 금발

앨리스의 대표적인
흰 앞치마

허리를 조이고 확 퍼지는
치마와 앨리스의 대표적인
파란색

흰 스타킹

서양식 구두

한국적인 한복을 앨리스의 메인
요소와 결합을 시켜서
디자인해보았어!

먼저 앨리스의 앞치마 형태는
그대로 가져오면서 한국의
저고리를 결합하여 상의를
매치했고

고풍스러운 긴 치마보다는
현대식으로 짧게 잘라주었어.

또한 신발은 전통이 묻어 있는
버선 신발로 디자인해 주었어.

마지막으로 앨리스의 메인 색인
파란색을 한국의 청색으로
바꾸었고 몇 가지의 카드 문양을
넣어 캐릭터성을 부여했지!

어때? 생각보다 한국의 미와 서양의 조합이 잘 어울리지 않아?

언젠간 <이상한 나라의 앨리스> 한국판 버전이 나오길
기대하면서

다음 동화로 넘어가 볼까?

동화 속
소품

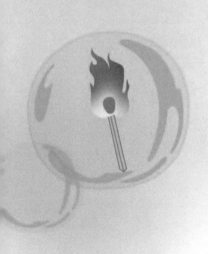

여우와 두루미

서로 입 모양이 다른 여우와 두루미가 상대방을 배려하지 않고
자신이 먹기 편한 그릇으로 음식을 내어놓고 결국 상대방이
만든 음식을 먹지 못한다는 이야기야. 상대방의 생김새의
차이와 배려의 중요성을 알 수 있어.

작자는 여기서 디자인 요소를 찾아냈어.

바로 생김새의 차이(다양한 모습의 소비자)와 배려(사용자를 생각하고 만드는 제품디자인)인데,

이러한 제품 디자인 철학이 떠오른 김에 여우와 두루미의 그릇을 각각 디자인해보기로 했어.

먼저 여우의 그릇을 디자인 해보자. 동화 속에 나와있는 여우의
그릇은

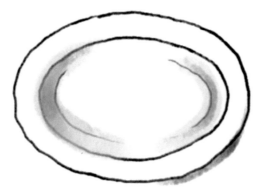

이렇게 납작한 모양의 그릇이야. 그릇이 납작한 형태여야
여우의 입으로 그릇에 담긴 음식을 먹을 수 있기 때문이지.

왼쪽의 그림은 그릇을 위에서 본 모양이고,

이건 그릇을 옆에서 본 모양이야.

테두리 부분에 한 번 더 움푹 파인 부분을 만들어서 또 다른
음식을 담을 수도 있고 아예 손잡이로 쓰일 수도 있어.

다음으러 두루미의 그릇을 디자인 해보자.

두루미는 부리가 있어서 음식을 담아 먹는다면 아마도 이렇게 호리병처럼 생긴 그릇이 맞을 거야.

 위에서 본다면 이런 모습,

 옆에서 본다면 이런 모습이 돼!

그림 형제가 각지의 민담들을 수집해서 엮은 동화,
《백설공주와 일곱 난쟁이 》알지?
이야기 속 백설공주는 그녀의 아름다운 외모로 인해,
새어머니인 왕비의 미움을 받고 성에서 도망 나오게 돼.
가까스로 목숨을 건진 공주는 숲속 오두막의 난쟁이들과 함께
지내지만, 백설공주가 살아있음을 알게 된 왕비는
직접 공주를 찾지.

사냥꾼의 도움에도 불구하고,

왕비가 백설공주의 소식을 알 수 있었던 이유는 바로 왕비의

거울 때문이야.

 이 마법의 거울은 거울이지만,

질문에 정확한 사실만을 말하고.

"누가 가장 예쁘냐?" 는 왕비의 물음에는 "백설공주" 라고 대답

했어.

만약 이 동화 속 마법의 거울이 정말 존재한다면,

어떤 모습일까?

현실에는
말을 할 수 있는 거울이 없기
때문에,
스마트폰의 기능을 활용해
마법의 거울을 디자인해 보기로
했어.

먼저 거울 겉면의 얇은 거울지를 들어내면, 스마트폰의 것과
같은 화면을 볼 수 있어.
이 거울은 인터넷을 통해 정보를 수집하며, 음성과 카메라
기능을 사용해
인식한 질문에 응답하고 화면을 띄워줘.

때문에 사용하는
사람에게   정확한
정보를
시각 자료와 함께
보여줄 수 있을
거야.

또,
액정을 가공하는 비용을 생각해서
원작의 전신거울을 탁상 거울로 크기를 줄였는데, 받침 부분을
접을 수 있어 휴대하기도 용이하지.
이 편리한 거울엔
왕비와 사용하는 사람의 취향을 담아
뒷면을(플라스틱) 화려하게 장식을 할 수도 있어!

한편,

왕비는 거울이 하는 말을 듣고

갖가지 방법으로

공주를 죽이려 오두막을 찾아가지만

계획은 번번이 실패했어.

마지막 독사과는

백설공주를 잠들게 하는 데는 성공했는데,

숲을 지나던 왕자에 의해

공주는 다시 깨어나고 말지.

결국,

허영심 많은 왕비는 벌을 받고,

왕자와 백설공주는 행복한 결말을 맞게 돼!

미녀와 야수

세계적으로 유명하고 많은 사랑을 받고 있는 미녀와 야수에서 어떤 나라의 왕자에게 한 노파가 찾아와. 그 노파는 왕자에게 한 송이의 장미를 내놓으며 도움을 요청하는데, 왕자는 그 요청을 거절해. 노파는 왕자에게 진실한 아름다움은 내면에 있다고 말했지만 왕자는 끝끝내 거절하게 돼. 그러자 노파는 아름다운 요정으로 변해 왕자를 야수로 변하게 하고, 왕자의 성에 사는 모든 것에 마법을 걸어. 그 저주로 인해 왕자는 자신의 추한 모습 때문에 성에 숨어 살게 돼. 요정이 왕자에게 내린 저주는 요정이 놓고 간 장미의 마지막 꽃잎이 떨어지는 스물한 번째 생일까지 누군가와 진실한 사랑을 하면 풀리지만 오랜 세월 성에서 혼자 지내며 점점 희망을 잃어가고 있어. 한편 책 읽기를 좋아하는 벨은 발명품 대회를 나갔다가 돌아오지 않는 아버지를 찾아 떠나. 벨의 아버지는 숲속에서 길을 잃어 낡은 성에 들어가게 돼. 그 성은 야수의 성이었고 아버지를 감옥에 가둬버려. 벨은 낡은 성을 찾아가 아버지를 찾지만 야수가 나타나 벨을 위협해. 벨은 자신이 아버지 대신 이 성에 영원히 남겠다고 하고 그렇게 벨은 야수의 성에서 야수와 함께 살게 돼. 벨과 야수는 성에서 함께 살며 여러 위협을 겪게 돼. 이 과정에서 둘은 서로에게 사랑을 느꼈고 결국 야수는 마지막 꽃잎이 지기 전에 진정한 사랑을 해 원래 인간의 모습으로 돌아와 벨과 함께 행복한 시간을 보내. 이 작품에서 장미는 시간이 지나고 있음을 알려주는 중요한 도구야. 그래서 시간이 지남을 알려주는 장미를 활용해 디데이나 원하는 시간을 맞춰놓으면 그때가 됐을 때 알려주는 시계를 디자인해 봤어.

일반시계일때의 모습

가운데에는 제일 중요한 장
미를 넣어주었고
12시, 3시, 6시, 9시는
조그만 장미와 잎으로 구성
을 했어

초침은 잎의 대를 사용해서
표현을 해봤어

디테일: 측면 설정 버튼

디데이를 알려주는 시계일때

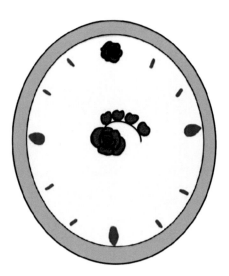

시간이 지날수록 꽃잎이
하나하나 펴지고
설정한 시간이 되면
꽃잎이 완전히 다 펴져!

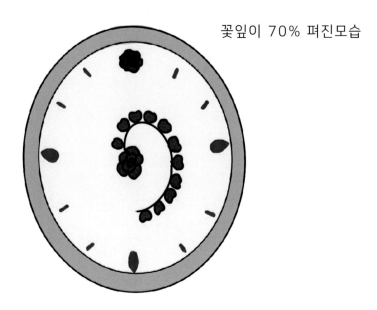

꽃잎이 70% 펴진모습

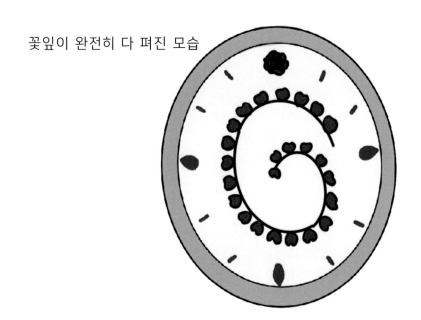

꽃잎이 완전히 다 펴진 모습

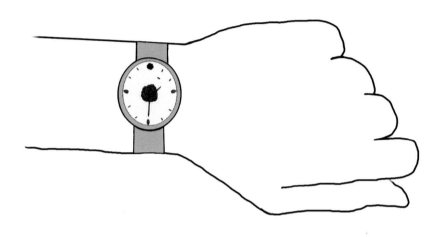

착용샷이야! 보통의 시계 크기보다 조금 더 큰 크기야
꽃잎이 주된 오브제라서 가독성을 높이기 위해서 크기
를 키웠어.

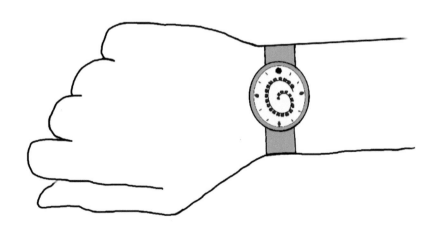

크리스마스

캐럴 에서 찾은

DE

SIGN

이야기

크리스마스 캐럴은 스크루지가 죽기 직전 천사를 만나면서
다른 인생을 사는 이야기이다. 그는 세 명의 천사를 만나기
전까지 자신을 위한 돈도 아끼는 인색한 인생을 사는
구두쇠였다. 세 명의 천사를 만난 스크루지는 이런 인생은
의미가 없다는 걸 뼈저리게 깨닫는다. 그들을 만난 이후로
그는 사람들과 교류를 시작하고 사람들과 나누는 기쁨을
알아간다. 나누는 기쁨을 알게 된 스크루지는 선행이 익숙지
않다. 그래서 스크루지의 선행을 도울 두 가지 물건을
디자인해 보자!

먼저, 스크루지의 난로를 개선하자. 스크루지가 자신을 위해
자기 집에 난방을 하면 이웃들도 함께 따뜻해지는 난로를
디자인하는 거야. 크리스마스 캐럴이라는 영화를 보면,
스크루지의 집이 엄청 큰 걸 알 수 있어. 그 큰집에 난방을
하려면 많은 장작이 필요할 거야. 들어가는 장작도 줄이고,
이웃의 난방비도 아끼기 위해서 스크루지 집에서 나오는 연기
파이프를 이웃의 바닥 아래에 넣어서 온돌 효과를 사용할
거야. 덤으로 연기 파이프가 삽입된 길 위는 눈이 쌓여도
열기탓에 눈이 녹지. 그래서 스크루지가 이 난로를 때면
일석삼조의 효과를 얻는 거야.

그리고 스크루지가 혼자 외로움을 타지 않게 사람들을
스크루지의 집에 오게 하는 거야. 샹들리에 전등에 소형 빔
프로젝터를 연결해서 집에서도 영화를 볼 수 있게 하는 거야.
요즘은 영화관보다는 집에서 영화를 많이 보는 게 추세인데,
그 유행을 따라 이웃들과 스크루지가 자연스럽게 한 공간에서
소통하는 시간을 만들 수 있을 거야.

샹들리에 등+ 빔 프로젝터

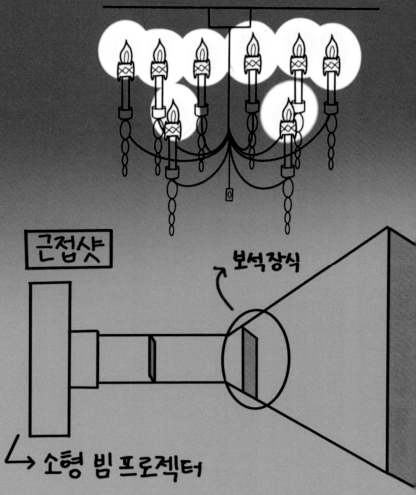

근접샷

보석장식

→ 소형 빔프로젝터

추가 기능도 넣어줄 건데, 아이들이 스크루지 집으로 놀러 왔을 때 반짝거리는 샹들리에 등을 만지고 싶은 마음이 들 수도 있어. 하지만 만지면 아이가 감전될 위험과 등이 망가질 위험이 있기 때문에, 아이의 손이 가까워지면 등이 천장으로 올라가는 기능을 넣어줄 거야. 전등 옆에 열 감지 센서를 장착해서 접근 여부를 파악하고 가까워질 때는 간단한 신호음과 함께 천장 가까이로 움직일 거야.

안전거리 확보 기능 추가

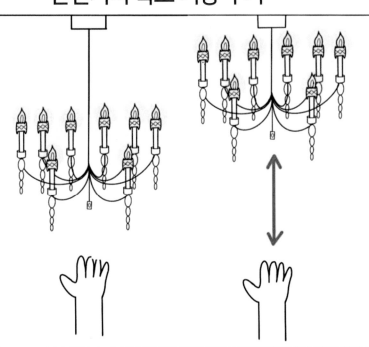

삐빅! 접근 금지

우리가 알고 있는 '엄지공주'는 '한스 크리스티안 안데르센'의 대표작 중 하나로 1835년에 발표한 안데르센의 동화집 2집에 수록되어 있어.

옛날 어느 마을에 홀로 살던 여인이 있었어. 여인은 엄지손가락만 한 아이라도 좋으니까 달라고 했지. 여인은 마법사를 찾아가 씨앗 하나를 얻어 집으로 돌아와 화분에 심었더니 튤립 꽃봉오리 속에서 키가 엄지손가락 정도로 작고 예쁜 소녀가 태어났어. 소녀는 키가 엄지손가락만큼 작고 예뻐서 엄지공주라고 불렸고 딸처럼 길렀어.

어느 날 밤, 엄지공주는 아비두꺼비에게 납치를 당해 아비두꺼비 아들의 청혼을 받지만 물고기와 나비의 도움으로 가까스로 빠져나올 수 있었어. 그런데 이번에는 풍뎅이가 엄지공주를 낚아채 친구들에게 보여줬는데 풍뎅이의 친구들은 엄지공주가 다리가 두 개뿐이고 못생겼다는 이유로 엄지공주를 놀리자 친구들에게 실망한 풍뎅이는 엄지공주를 숲 속에 두고 가 버렸어.

추운 겨울날, 홀로 남겨진 엄지공주는 길을 헤매다 들쥐 할머니의 집에서 같이 살게 되었어. 그러던 어느 날, 엄지공주는 쓰러진 제비를 발견하고 정성껏 돌봐 준

덕분에 건강해진 제비가 함께 남쪽 나라로 가자고 했어. 하지만 엄지공주는 자신을 따뜻하게 보살펴 준 들쥐 할머니를 두고 갈 수가 없었어.

그러다 얼마 후, 들쥐 할머니의 이웃인 부자 두더지가 찾아와 엄지공주에게 청혼을 했어. 그녀는 결혼하게 되면 밖으로 한 번도 나가지 못하고 캄캄한 지하에서만 살아야 해서 거절하고 싶었지만, 할 수 없이 슬퍼하면서 결혼식을 위해 드레스를 만들었지. 결혼식 바로 전 날, 엄지공주는 마지막으로 지상을 보기 위해 지상으로 올라와 꽃과 나무, 하늘과 태양에게 작별 인사를 했어. 그때 엄지공주가 구해준 제비가 나타나 원치 않는 결혼은 해서는 안 된다며 엄지공주를 등에 태우고 꽃의 나라로 데리고 갔어.

그 뒤 꽃의 나라에 도착한 엄지공주는 자신과 똑같은 키의 왕자를 만나 결혼해서 행복하게 살았어.

엄지 공주가 튤립에서 태어났기 때문에, 엄지 공주의 상징이 튤립이라고 생각해서 튤립을 모티브로 디자인해봤어. 또한 양 옆과 꽃 가운데에 있는 보석은 엄지 공주의 작고 소중함을 의미하고 있어.

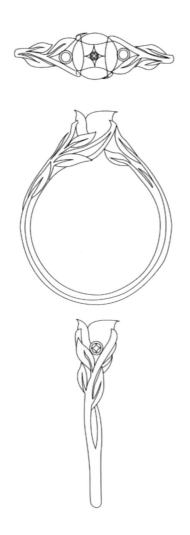

엄지 공주의 특유의 귀여움을 반지에 들어내기 위해 튤립
꽃잎을 사랑스러운 핑크색으로 꾸며봤어. 그래서 이 반지를
청혼 반지로 쓰면 좋을 것 같아.

《호두까기 인형》은 사실
동화 제목이 아니라

표트르 차이콥스키가 각색한 발레 공연의 제목이란 걸 알고
있니?

원작으로 하는 동화의 제목은
《호두까기 인형과 생쥐 대왕》이고,

그 내용을 대강 소개할게.

주인공인 어린 소녀 마리는
크리스마스에 호두까기 인형을 선물받아.

그렇지만

오빠 프리츠가

그 인형을 망가뜨려 버리지.

속상했지만,

정성으로 부러진 인형을 돌보던 마리는

꿈속에서 다시 호두까기 인형을 만나!

생쥐 떼에게 공격을 받던 호두까기 인형은 마리가 쥐어 준 칼로

그들을 물리치고,

마리의 진심 어린 사랑으로

왕자가 되어 그녀를 인형의 나라로 초대해.

작품 속에서
호두까기 인형이
오빠 프리츠로 인해 망가지는 건
마리의 진심어린 사랑으로 이어져,
결국 호두까기 인형을 왕자로 되돌리지만,

호두까기 인형을 더 단단하게 만들었다면,
생쥐 무리들 과의 전투에서
인형이 더 멋지게 활약할 수 있지 않았을까?

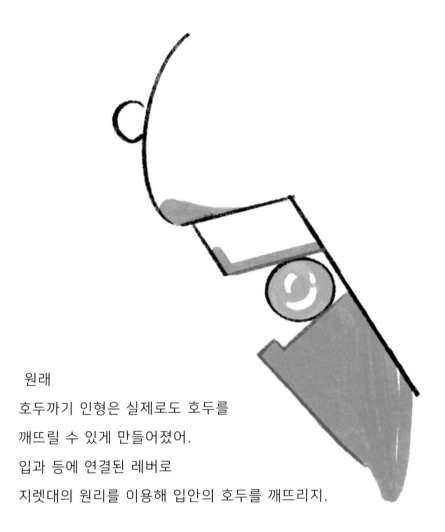

원래
호두까기 인형은 실제로도 호두를
깨뜨릴 수 있게 만들어졌어.
입과 등에 연결된 레버로
지렛대의 원리를 이용해 입안의 호두를 깨뜨리지.

프리츠는 호두까기 인형의 입속에
호두 대신 딱딱한 대포알을(구슬) 넣었는데,
구슬같이 딱딱한 물건에도 인형이 망가지지
않도록!
목재에서 금속으로 소재를 바꾼 디자인을
해보았어.

호두까기 인형의 크기가 큰 만큼,

모든 부분의 소재를 바꾼다면

아이들이 가지고 놀기에 다소 무거울 수 있으니까

입과 레버 부분만을 금속으로 할 거야.

입천장에 얇은 금속 면과

철제 레버가 부딪히면서

더 단단한 물건도 부술 수 있는 거지.

추가로,

깨진 호두 등의 파편이 멀리 가지 못하게

병정 옷을 털이 많아 엉키는 소재로 한다면,

마리와 호두까기 인형이

인형나라에서

더 안전하게 시간을 보낼 수 있지 않을까?

피노키오

세계적으로 많은 사랑을 받아오는 피노키오는 나무 장인
제페토가 한 조각의 나무로 인형을 만들기 시작하는 곳에서
시작되는 작품이야. 제페토는 어느 날 나무토막을 가져와서
인형을 만들었어. 이 인형은 갑자기 살아 움직이기 시작하고,
제페토는 그를 피노키오라고 이름을 짓게 돼.

 피노키오는 진짜 아이처럼 되고 싶어 해.

하지만 피노키오는 매우 호기심이 많아서 종종 곤경에 처하게
돼. 피노키오는 거짓말을 할 때마다 코가 길어지는 특성
때문에 여러 번 거짓말의 결과를 직접 체험하게 되는데,
첫날 학교에 가기로 결정한 피노키오는 그 대신 극장에
가버리고, 그의 학교 도서를 팔아서 입장료를 지불을 해버려
 그 결과로 악당들에게 납치되어 많은 위험에 처하게 돼
피노키오는 여러 번 위기에서 구해주는 요정과의 만남을
통해 진정한 사랑과 배려의 중요성을 배우고 이 요정은
피노키오가 착한 아이로 성장할 때마다 그를 도와줘.
어느 날 피노키오는 그의 아버지 제페토가 상어 속에
갇혀있다는 것을 알게 되고, 그를 구하기 위해 위험을
무릅쓰게 돼.
피노키오의 진실한 용기와 희생정신은 결국 그를 진짜 인간
아이로 변화 시키게 되는 마법의 힘을 발휘하게 만들어.
피노키오는 그의 잘못된 선택과 행동에 대한 교훈을 얻고
진정한 사랑과 책임감의 중요성을 깨닫게 되며 이 작품은
마무리가 돼.

이 작품을 읽고 여러분들은 아마 모두 똑같은 모습을 한 피노키오룰 떠올릴 것 같은데 나 또한 피노키오라는 작품을 상상했을 대 디즈니의 피노키오를 가장 먼저 떠올렸어. 그래서 이 기회에 새로운 피노키오를 디자인해 보았어! 기존 피노키오의 특징인 나무와 거짓말을 하면 코가 길어진다는 설정은 옮겨 담았지만 기존 피노키오의 외관을 다르게 디자인했어.

기존 피노키오 분석 및 초기 발상 단계

-파란색의 눈

-모자

-옷에 달려있는 리본

-길어지는 코

새롭게 디자인한 피노키오의 모습

기존 피노키오와 비교했을 때 기존의 피노키오는 완전한 사람
이었다면 새롭게 디자인한 피노키오는 현실적으로 진짜
나무로 만들어진 목각인형으로 만들었어.
기존 피노키오에서 따온 코는 진짜 나뭇가지로 만들었고 모자는
나뭇잎으로 새롭게 만들어봤어.
기존의 피노키오에서 똘망 똘망한 눈과 큼지막한 입을 따와서
큰 눈과 웃을 때 입의 비율이 비교적 크도록 만들어줬어.
기존의 피노키오는 완전한 사람의 외형이었다면
새롭게 디자인해 본 피노키오는 목각인형 그 자체로 구상해 봤
어!

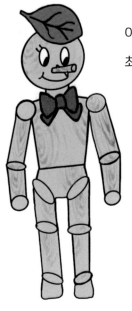

이게 새롭게 디자인 해본 피노키오의
최종 모습이야!

스케치 단계에서는 없었던 빨간색 리본이 추가됐지?
기존 피노키오도 리본을 하고 있었는데, 그게 피노키오의
대표적인 특징이라고 생각해서 모양은 비슷하지만
색이 다른 리본을 추가했어.

행복
에서 찾은
DESIGN
이야기

흥부놀부전에서 가장 인상 깊은 장면을 뽑으라면 모두가
흥부가 뺨을 맞는 장면이라 할 거야. 그 장면에서 제일 중요한
주걱을 때리기 좋은 모양으로 디자인해 보자! 새 주걱을
디자인하기 전에 여러 종류의 주걱을 찾아보자.

동물 발바닥 모양 주걱, 기다란 주걱, 익숙한 형태의 주걱, 큰
주걱, 작은 주걱, 손잡이 있는 주걱.. 주걱의 종류가 생각보다
많네~ 나도 주걱이 이렇게 종류가 많은지 조사하면서 알았어.
그럼 이제 조사한 주걱들에서 찾은 요소들을 반영해서 놀부를
위한 주걱과 흥부를 위한 주걱을 디자인해 보자!

놀부의 아내가 흥부의 뺨을 잘 때리려면 어떤 모양의 주걱이 적당할까? 먼저 주걱의 손잡이는 놀부 부인이 잘 잡을 수 있게 손바닥과 손가락 모양을 본떠야 할 것이다. 그리고 얼굴에 주걱이 맞는 부분이 적을수록 한 순간에 큰 힘이 가해지기 때문에 더 아플 것이다. 그리고 주걱에 있는 돌기들이 있으면 맨 주걱으로 맞을 때보다 더 아플 것이다. 이 요소들을 반영해서 놀부 부인을 위해 흥부를 더 아프게 때릴 수 있는 주걱을 디자인해 보자

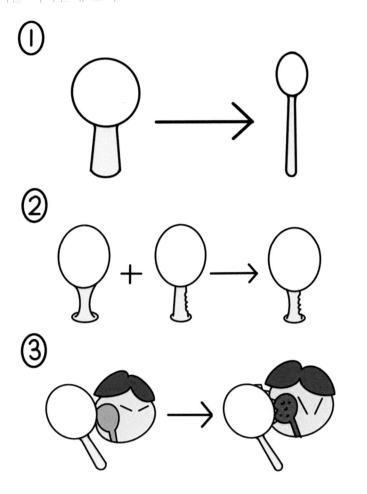

그럼 이제 흥부가 덜 아프게 맞을 수 있는 주걱을 디자인해
보자. 아까 흥부를 더 세게 때리기 위해 고려했던 요소들을
반대로 적용해 주면 될거야.

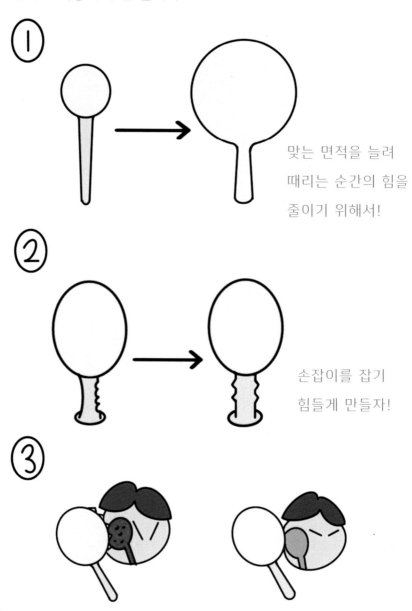

① 맞는 면적을 늘려
때리는 순간의 힘을
줄이기 위해서!

② 손잡이를 잡기
힘들게 만들자!

③

그렇게 최종적으로 흥부를 더 세게 때리기 위한 주걱과 흥부가
덜 아프게 맞을 수 있는 주걱을 디자인했어. 요즘 주걱은 밥을
잘 저으려고 돌기가 있는 게 대부분이기 때문에 흥부가 요즘
시대 사람이라면 과거에 맞았던 것보다 더 아팠을 거야. 이렇게
직접 주걱을 디자인하니, 흥부는 어떤 주걱으로 맞았을지 더
궁금해졌어!

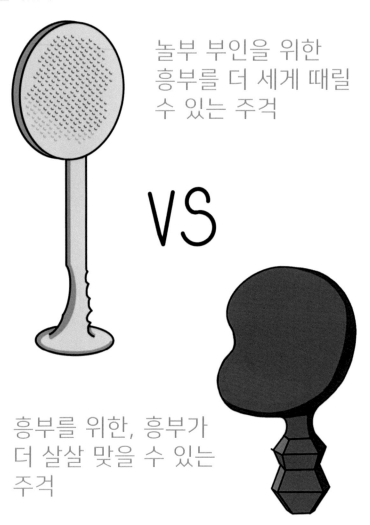

놀부 부인을 위한
흥부를 더 세게 때릴
수 있는 주걱

VS

흥부를 위한, 흥부가
더 살살 맞을 수 있는
주걱

다음은 <걸리버 여행기>의 동화 속으로 왔나 봐. 과연 이번에는 무엇이 우리를 기다리고 있을까? 먼저 이 동화의 내용부터 파악 해볼까?

안내문

<걸리버 여행기>는 주인공이 여러 나라를
돌아다니면서 경험한 이야기에 대한 것인데
걸리버는 의도치 않게 폭풍우를 만나
소인국으로 가게 되었어.
그곳에서 걸리버는 전쟁에도 나가 승리를
거머쥐게 되면서 위신과 사랑을 얻었지만
너무 많이 먹는다는 이유로 죽여야 한다는
말이 나오게 되어 옆 나라로 떠나게 돼.
하지만 옆 나라는 거인국이었어. 거인국에서
걸리버는 죽을 뻔하기도 했지만 사람들
앞에서 재주를 부리게 되면서
왕과 왕비의 사랑을 받게 되었어. 하지만 또
고난을 겪으면서 인간에 대한 비판적 시각을
느끼게 되었지.

나는 이런 곳을 여행하면서 걸리버는 어떻게

그 국가들의 언어나 문화를

이해하고 알고 있었을까에 대해서

궁금해서 걸리버의 여행을 위한 안경을 디자인해보기로 했어.

한번 이 안경의 기능과 장단점까지 같이 보러 가볼까?

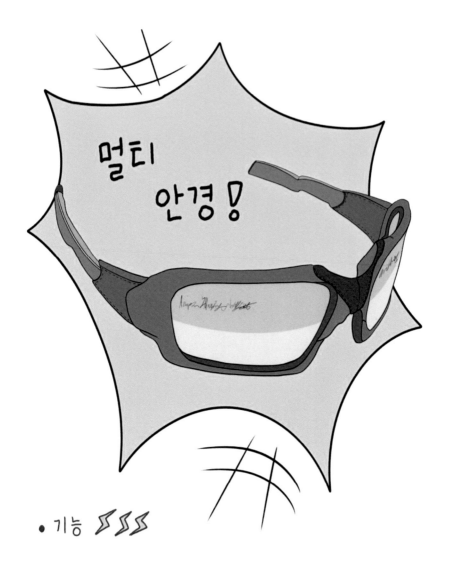

멀티
안경!

• 기능

• 작은 소인들을 자동으로 확대하여
보다 쉽게 볼 수 있다.
• 그 나라의 언어를 즉각 번역해 주어
보다 쉽게 말을 알아들을 수 있다.

저런 안경이 있다면 이 세상 모든 탐험가들을 비롯한
여행객들까지 탐날 것 같은 안경인데?
걸리버에게 이 안경을 선물해 준다면 정말 좋아하겠어!

성냥팔이 소녀와
난로 디자인

많은 사랑을 받아 오고 있는 안데르센의 동화 '성냥팔이 소녀'에 대해 알아? 12월 마지막 날 안나는 길거리에서 성냥을 파는데 사람들은 길거리에서 파는 성냥이 볼품없다고 생각해 사지 않아. 안나는 성냥을 팔지 못하고 집에 들어가면 주정뱅이 삼촌에게 맞을 것이 뻔해 집에 들어가지도 못하고 있어. 게다가 기차를 피하다가 신발 한 짝이 눈에 파묻혀 잃어버리게 되고 다른 한 짝은 동네 말썽꾸러기 소년들에게 빼앗기는 불운의 날이지. 안나는 추위를 피하기 위해 인적 드문 골목길에 앉아 성냥불을 피우는데 안나가 바라던 따뜻한 난로, 만찬, 크리스마스트리의 환영이 나타나고 네 번째 성냥불을 켜자 돌아가신 외할머니가 나타나. 안나는 할머니께 자신도 데려가달라고 하고, 다음 날 죽은 채로 발견되는 슬픈 동화야.

 이 동화를 보고 안나가 그토록 원했던 따뜻한 난로를 디자인해 보았어. 이동식으로 야외에서도 사용할 수 있는 난로로 디자인했고, 붕어빵 장사를 하시는 분들이나 포장마차에서 장사하시는 분들처럼 추운 겨울에도 야외에서 일하시는 분들을 위해 디자인하였으나 겨울에 캠핑이나 야외 활동을 가서도 사용할 수 있어.

< 이동식 난로 디자인. >
- 바퀴 (고정가능)
- 건전지 사용 아 충전방.
- 안전하면서도 열 전달이 잘 되는 디자인.
- 2가지 크기
- 온열 단계 조절
- 원하는 방향 설정
- 높이조절

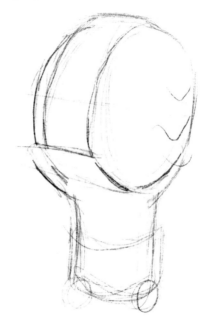

난로를 디자인할 때 안전하면서도 열전달이 잘 되도록 하는 것을 가장 우선시했어. 그래서 화상 위험을 줄이기 위해 망을 설치하고 가장자리가 난로보다 더 튀어나오게 설계해 난로에 직접적으로 접근하기 어렵게 해서 안전성을 더했지. 야외에서도 편리하게 사용할 수 있도록 고정 가능한 바퀴를 달았고, 충전식으로 만들었어. 보다 넓은 공간을 데워야 하는 경우와 편리하게 들고 다니기 위한 두 가지 경우를 고려해 두 가지 사이즈로 디자인하였어. 작은 사이즈는 바퀴 없이 만들었어.

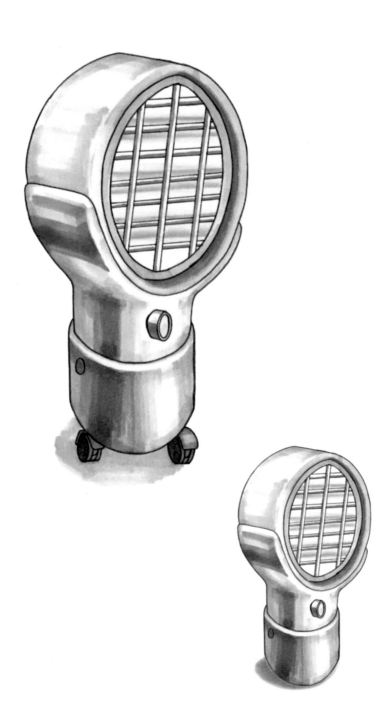

사용자가 제품을 유용하게 사용할 수 있도록 온열 단계를
조절할 수 있도록 했고, 높이 조절과 방향 조절 또한 가능해.

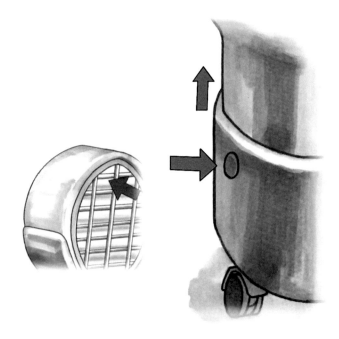

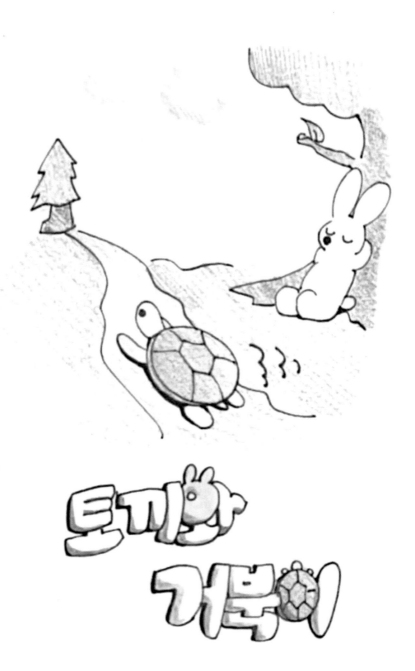

토끼와
거북이

옛날 옛적에 토끼와 거북이가 살았는데, 토끼는 달리기가 아주
빨랐고 거북이는 느렸어.

어느날 토끼와 거북이는 달리기 경주를 하게 되는데, 한참 멀리
서 오고 있는 거북이를 보고 토끼는 중간에
낮잠을 잤고 꾸준히 나아갔던 거북이는 결국 승리하게 된다는
이야기야.

어느날 우연히 토끼와 거북이의 모습을 보게 되었는데, 자고 있는 토끼와 등껍질을 지고 앞으로 나아가는 거북이를 보니 학교에서 아침 시간에 잠에서 깨어나지 못하는 친구와 무거운 가방을 메고 힘들어하는 친구의

모습이 떠올랐어. 거북이가 등껍질을 메고 있는 것처럼 보였거든.

아, 그리고 내가 어릴 적 봤던 동화 <토끼와 거북이>에서는 토끼가 일부러 낮잠을 잔 거지만, 저 친구는 밤을 새고 와서 깊게 잠이 들어 못 깨어나게 생긴 거야.. 원래 동화 속 토끼의 성격과는 상관 없다고 생각해줘~

수험생 맞춤 단어퀴즈알람시계

내가 디자인한 잠에서 쉽게 깨어나지 못하는 수험생들을 위한 토끼 알람시계야.
토끼의 특징이 크게 드러나는 귀와 꼬리의 형태를 가져왔어.

틈틈이 공부하게 해 준다!

디지털 형식으로, 틈틈이 공부까지 가능하도록 알람
시간이 되면 화면에 사용자가 입력한 영단어가 뜨고, 뜻을 맞혀야 알람을 끌 수 있어.

블루투스 이어폰

공공장소에서도 사용할 수 있도록 내장된 블루투스 이어폰이 있는데, 알람시계 뒷면에 있는 동그란 꼬리 손잡이를 잡고 열면 나오게 되어 있어.

영단어 어플

영단어 입력은 어플을 통해 입력할 수 있어.
오답을 모아서 따로 테스트할 수 있게 설정할 수도 있지.

무겁지 않은 가방

무거운 가방은 어깨에 큰 부담이 되고 허리부터 몸 전체까지도 영향을 미칠 수도 있어. 심하면 거북목으로 이어질 수도 있지! 그만큼 무거운 가방을 메는 것이 몸에 좋지 않은데, 나도 그렇고 친구들도 가방을 무겁게 메야 할 때가 많아서 힘들어하는 모습이 항상 안타까웠거든.. 그래서 나는 인체공학적 요소를 접목한 디자인으로 하중 부담을 덜어 주면서, 결승선을 넘어간 거북이를 나타내는 간단한 그림이 그려진 가방의 디자인까지 해 보았어.

인체공학적 디자인

FINISH

가방 앞면 가운데에 거북이의 윗모습을, 앞주머니 위에 FINISH를 넣어 결승선을 넘은 거북이의 모습을 나타내었어.

등과 어깨 끈 부분에 쿠션을 부착하여 가방 속 물건들의 하중으로 인한 부담감을 줄여 줄 수 있어.

내 디자인으로 수험생들 뿐만 아니라 많은 사람들이 일상생활을 더 편리하고 재미있게 보낼 수 있게 되었으면 좋겠어.

작가 소개

강유나
sarah-26@naver.com

공윤주
habyk2006@naver.com

김민상
kimminsang0217@gmail.com

문소희
msohee001@naver.com

문은빈
moonbin0227@naver.com

배서희
violet061230@naver.com

서지후
limestone1219@gmail.com

이하린
lemon202024@naver.com

진혜원
jasmine060730@gmail.com

최서원
seowone17@gmail.com